¡Despiértalos!

Un cuento de **Lluís Rius**   ilustrado por **Montse Ginesta**

HOSPITAL
Sant Joan de Déu
BARCELONA

laGalera / Círculo de Lectores
Premio Hospital Sant Joan de Déu 2000

*A los noventa y nueve peldaños de
casa, por donde suben y bajan tantas
historias. Y a Laura, Jana y Mariona,
con quien las puedo compartir.*

Despiértalos!

–¡Levántate, mamá! –he dicho, sin chillar, susurrándoselo al oído.

–¡Despierta, papá! –le he pedido a él, después..

Esta tarde, después de comer, papá y mamá se han dormido ante la tele. Mamá, tumbada en el sofá, con la boca abierta. Papá, en la mesa, con la cabeza entre los brazos, roncando bajito.

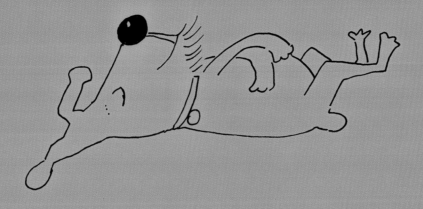

Cada día se duermen un rato frente al
televisor, pero tanto rato, no.
Como la cabezada duraba más de
la cuenta, he ido a buscar al
Despertador de Dormidos,
que vive en el piso de arriba,
justo encima del nuestro.

Hay que subir dieciocho peldaños
para llegar al piso de arriba.
Por eso he avisado al Subidor de
Escaleras, que vive en el principal,
en el piso de abajo de todo de la
escalera. Le he llamado por teléfono,
pero justo en ese momento
se ha ido la luz.

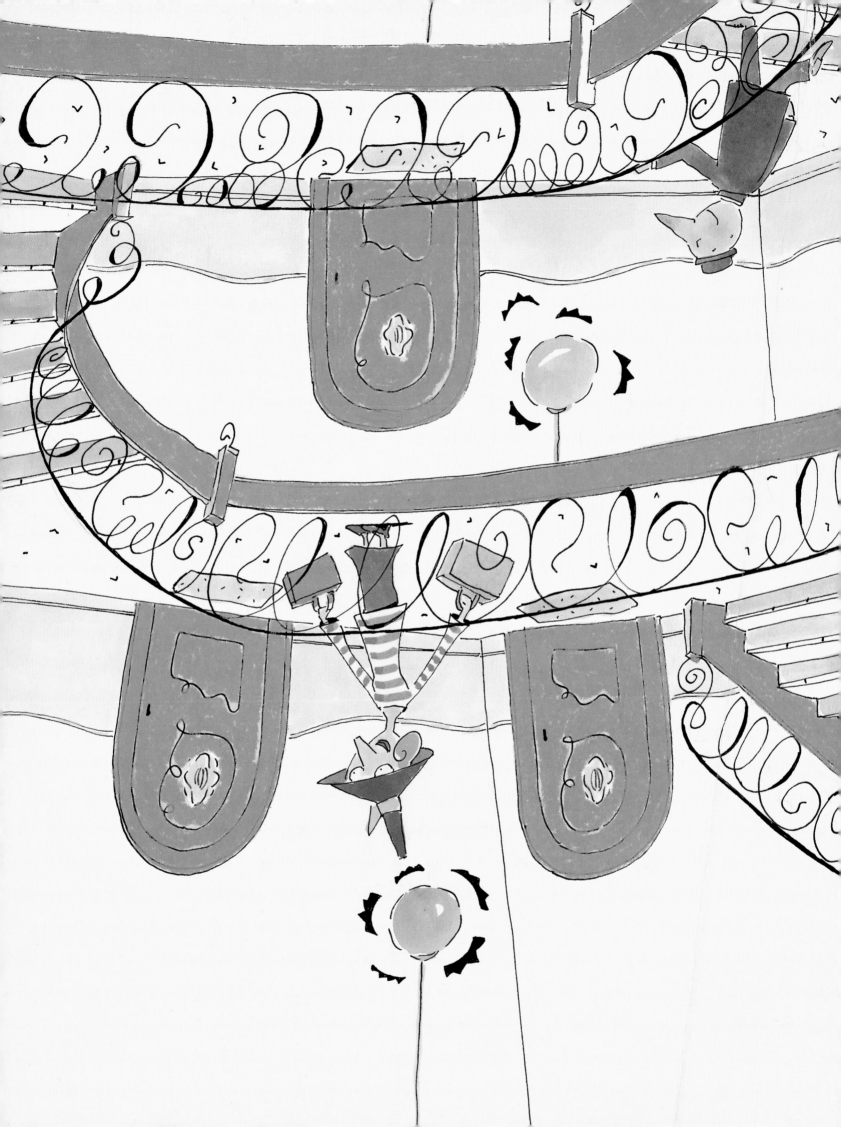

—¡Sin luz no puedo subir! —me ha dicho, desde el otro lado del teléfono, seguramente levantando las cejas y abriendo una mano.

Así que ha sido necesario encontrar a alguien que diera de nuevo la luz; si no, el Subidor de Escaleras no podría ir a buscar al Despertador de Dormidos, y el Despertador de Dormidos no podría despertar a mamá y a papá.

Quien lo sabe todo sobre las idas y venidas de la luz
es el vecino que vive en el mismo rellano que
nosotros, en la puerta de enfrente de casa.

He ido a buscarlo:

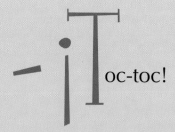

— ¡Toc-toc!

Ha tardado en abrir, el Encendedor de la Luz, porque
no oía el toque de mis dedos en la puerta.

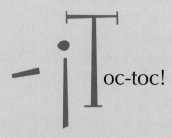

— ¡Toc-toc!

Y cuando ha abierto la puerta ha tardado en verme, porque estaba todo muy oscuro. Mientras tiraba de las perneras de sus pantalones, le he pedido:

—Tendrías que encender la luz de la escalera, porque sin luz el Subidor de Escaleras no puede subir los peldaños y pedir al Despertador de Dormidos que despierte a mis papás, que se han dormido frente al televisor más rato de la cuenta.

—¡Pero tengo que bajar a la portería, para encender la luz! —me ha dicho él, rascándose la barbilla.

La portería está a pie de calle, y hay que bajar cincuenta y cuatro peldaños, para llegar. Por eso he tenido que avisar al Bajador de Escaleras, que vive en el ático, en lo más alto del edificio. El Bajador de Escaleras sabe bajar los peldaños sin luz, y enseguida se ha presentado, servicial, en el rellano de casa.

Se ha cargado a hombros al Encendedor de la Luz, ha bajado hasta el principal, se ha cargado a hombros al Subidor de Escaleras, y ha llegado a la portería.

Al Encendedor de la Luz le ha resultado muy fácil conseguir que volviera la luz: ha abierto la puerta del armario de madera, ha tocado un mando, ha apretado dos botones, y todas las bombillas de la escalera se han encendido a la vez.

Entonces el Subidor de Escaleras ha vuelto a cargar
a hombros al Encendedor de la Luz, después
al Bajador de Escaleras, y ha remontado los peldaños
hasta el rellano de casa. Por fin me ha dicho:

—¡Sube!

Ha visto que yo levantaba la cabeza para mirar a los
vecinos que llevaba a hombros, muy bien colocados
el uno encima del otro, y girando la cabeza hacia atrás
me ha señalado el lugar que me correspondía:

—¡Encima del Bajador de Escaleras!

18

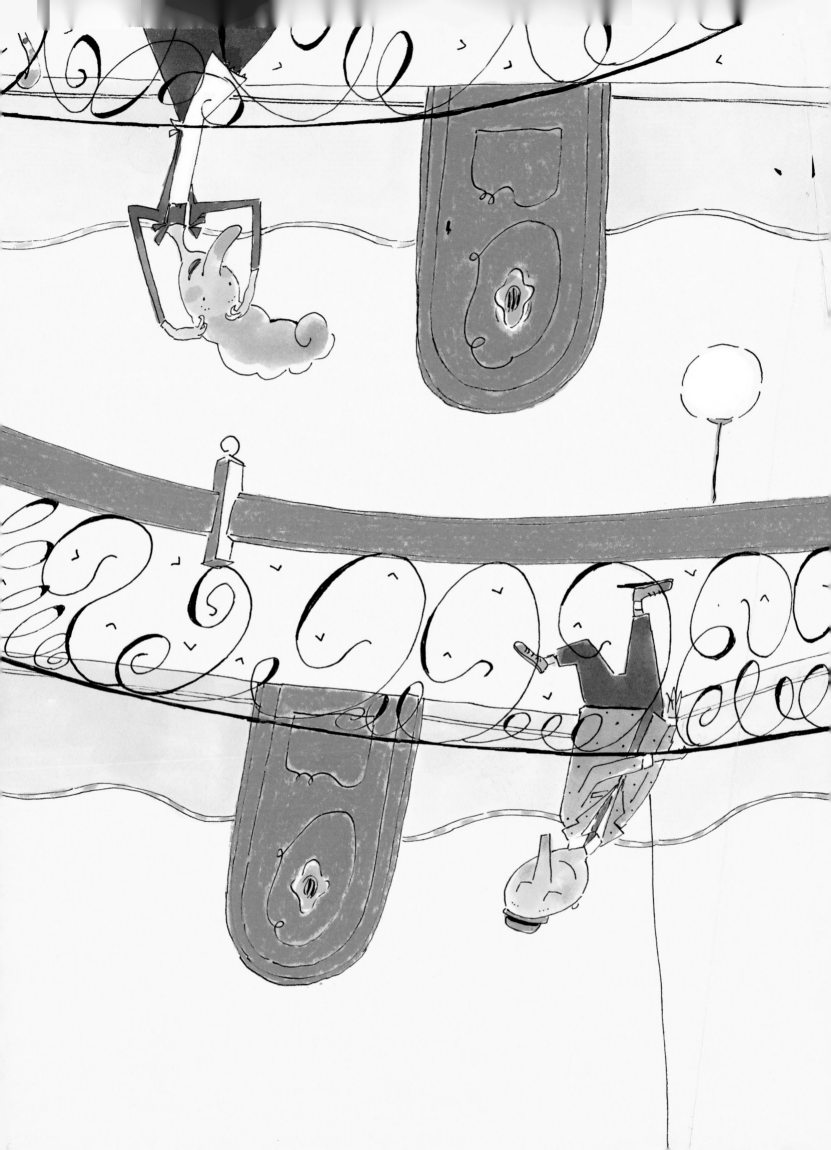

Hemos subido entonces hasta el piso de encima de casa, donde vive el Despertador de Dormidos. He llamado a la puerta de su casa todavía encima del Bajador de Escaleras, encima del Encendedor de la Luz, encima del Subidor de Escaleras.

—¡Toc-toc!

Nos esperaba de pie detrás de la puerta, y enseguida la ha abierto para bajar a despertar a mis padres, que dormían desde hacía rato en el sofá y en la mesa.

ZZZZZZZ

Entonces el Bajador de Escaleras se nos
ha cargado a hombros a mí, al Subidor,
al Encendedor y al Despertador, y
hemos bajado hasta el rellano
de casa. Cuando hemos
llegado delante de
la puerta, nos ha
descargado a
los cuatro.

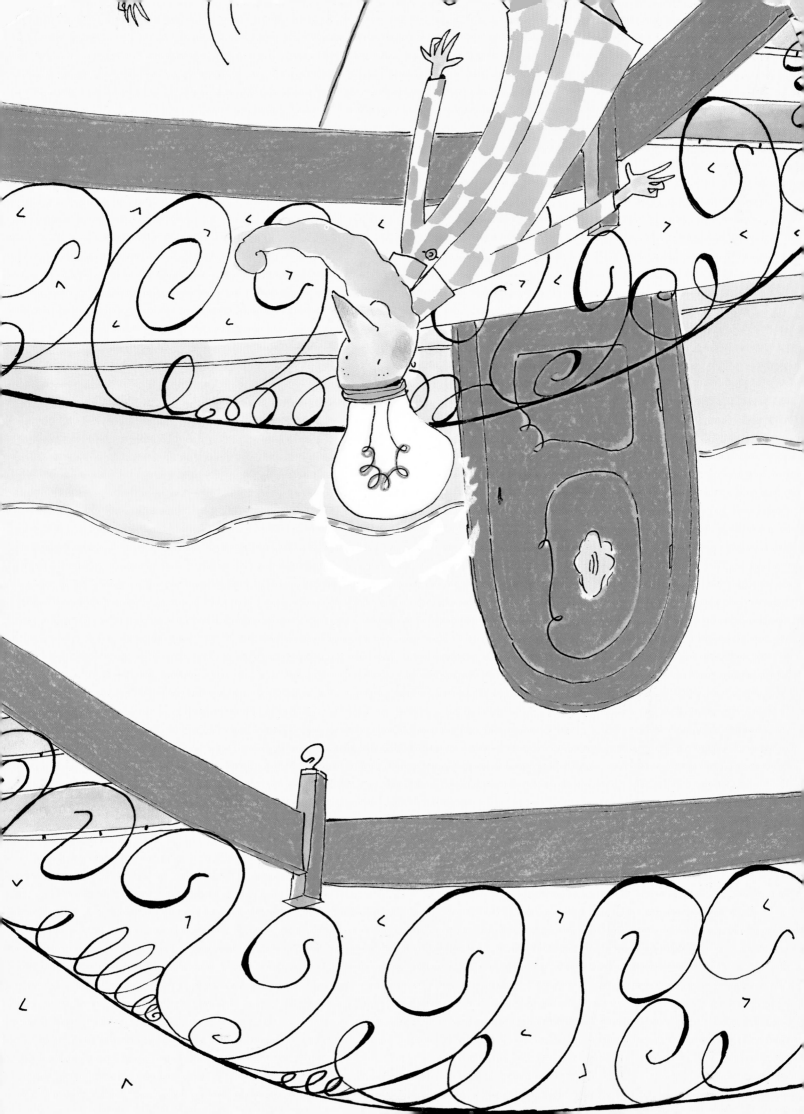

Hemos entrado. Papá dormía tranquilo con la cabeza entre los brazos, y mamá sonreía tumbada en el sofá. El Despertador de Dormidos se ha acercado primero a uno, y luego al otro, y les ha dicho (yo lo miraba todo con los ojos muy abiertos):

—Despertaos, por favor.

Mamá se ha desperezado con un pequeño bostezo.
Papá también se ha desperezado,
con un bostezo un poco más grande.

—¿Ya es la hora?

—Es más de la hora.

Y como el sueño y los peldaños nos habían despertado a todos el apetito, hemos preparado la cena. Nosotros tres y el Despertador de Dormidos.

Y el Subidor y el Bajador de Escaleras. Y hemos cenado juntos con la tele encendida.

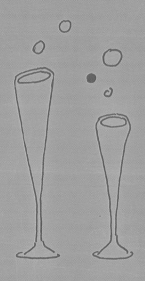

La versión original en catalán de este libro ganó el premio de cuento
infantil Hospital Sant Joan de Déu 2000 convocado por este hospital
y las editoriales La Galera y Cercle de Lectors.

Título de la edición original: *Adormits!*
Traducción del catalán: Lluís Rius i Alcaraz
Diseño: Eva Mutter
Ilustraciones: Montse Ginesta

Círculo de Lectores, S.A. (Sociedad Unipersonal)
Travessera de Gràcia 47-49, 08021 Barcelona
www.circulolectores.com
1 3 5 7 9 0 0 1 2 8 6 4 2

La Galera, S.A. Editorial, 2000
Diputació 250, 08007 Barcelona
http://www.enciclopedia-catalana.com
lagalera@grec.com

© Lluís Rius i +Alcaraz, 2000, por el texto
© Montse Ginesta, 2000, por las ilustraciones
© Círculo de Lectores, sociedad anónima unipersonal, y
La Galera, S.A. Editorial, 2000, por la edición en lengua castellana

Depósito legal: B. 39.047-2000
Impresión y encuadernación: Printer industria gráfica, s.a.
N. II, Cuatro caminos s/n, 08620 Sant Vicenç dels Horts
Barcelona, 2000. Impreso en España
ISBN Círculo de Lectores: 84-226-8502-7
ISBN La Galera: 84-246-3909-X
Núm. 21154